D1095243

Text:
Michael Schmidt-Salomon
Illustration:
Helge Nyncke

# Michael Schmidt-Salomon
## Helge Nyncke

# Wo bitte geht's zu Gott? fragte das kleine Ferkel

### Ein Buch für alle, die sich nichts vormachen lassen

Alibri

Das kleine Ferkel und der kleine Igel saßen in der Badewanne und lachten aus vollem Herzen. So wie sie es immer taten, wenn die Sonne schien oder wenn der Regen auf die Erde fiel.

„Ach, was geht es uns gut!", sagte das Ferkel.

„Es könnte uns gar nicht besser gehen!", meinte der Igel und streckte seine Arme ganz weit aus. „Ich könnte die ganze Welt umarmen!"

„Tolle Idee", antwortete das kleine Ferkel. „Aber lass uns zuvor ein paar Äpfel pflücken. Mir knurrt ein wenig der Magen."

„Gut", sagte der kleine Igel.

Kaum waren die beiden zur Tür hinausgegangen, fiel ihnen etwas Seltsames auf. Irgendjemand hatte über Nacht ein Plakat an ihrem Häuschen angebracht. „Wer Gott nicht kennt, dem fehlt etwas!", stand darauf geschrieben. Das kleine Ferkel las es dem kleinen Igel vor, denn der hatte in der Schule nicht so gut aufgepasst.

„Ferkel, kennst du Gott?", fragte der Igel. „Nee", sagte das Ferkel.

„Ich auch nicht!", meinte der Igel.

Darüber erschraken die beiden sehr. Sie hatten ja gar nicht geahnt, dass ihnen etwas fehlte! Also machten sie sich auf den Weg, um Gott zu suchen.

Wer GOTT nicht kennt, dem fehlt etwas!

„Wo bitte geht's zu Gott?", fragte das kleine Ferkel jedes Tier, das sie auf ihrer Wanderung trafen. Aber niemand hatte je etwas von einem Gott gehört, weder die Gans noch der Hase noch der Maulwurf. Erst der schlaue Fuchs wusste Antwort.

„Ich hab' mal ein paar Menschen über Gott streiten hören", sagte der Fuchs. „Sie haben ihm dort oben auf dem Tempelberg große Häuser gebaut." „Worüber haben sie sich denn gestritten?", fragte der kleine Igel. „Ich glaube, sie sind sich nicht einig, in welchem dieser Häuser der Herr Gott nun wohnt", antwortete der Fuchs und fügte leise hinzu: „Wenn ihr mich fragt, geht besser nicht dorthin! Die Leute da oben sind ziemlich verrückt!"

Das kleine Ferkel und der kleine Igel bedankten sich artig für den guten Rat des Fuchses. Aber sie waren so neugierig, dass sie trotz der Warnung den Berg hinaufstiegen. Sie mussten doch herausfinden, was ihnen fehlte!

Als sie den Berg erklommen hatten, entdeckten sie drei riesige Häuser, die dicht nebeneinander standen. So etwas Gewaltiges hatten die beiden noch nie gesehen.

„Dieser Herr Gott muss ja riesig groß sein, wenn er solch große Häuser braucht!", meinte der kleine Igel. Und er bekam auch etwas Angst: „Ferkel, meinst du, wir sollten nicht besser doch nach Hause gehen?"

„Papperlapapp, Igel!", sagte das Ferkel. „Jetzt sind wir schon so weit gewandert, da sollten wir den Herrn auch kennen lernen!"

Das klang sehr mutig, doch insgeheim hatte auch das kleine Ferkel ein wenig Angst, aber das wollte es dem kleinen Igel nicht zeigen.

Igel und Ferkel gingen auf das erste Haus zu. Davor stand ein Mann mit einem lustigen Hut und langen, schwarzen Locken. „Wo bitte geht's zu Gott?", fragte das kleine Ferkel. „Dies hier ist der Tempel des Herrn, eine Synagoge", erklärte der Mann. Und er wusste, wovon er sprach, denn der Mann war ein „Rabbi", ein jüdischer Gelehrter.

„Oh fein!", sagte der kleine Igel. „Ist denn der Herr zuhause? Dürfen wir ihn kurz sprechen? Es dauert auch nicht lange…" „Nur, wenn deine Mutter Jüdin ist!", antwortete der Rabbi. „Jüdin?", fragte der Igel. „Meine Mama ist Igelin!" „Und meine eine Sau", fügte das kleine Ferkel hinzu.

„Tut mir leid!", sagte der Rabbi. „Nur wir Juden dürfen den Tempel zu dieser Feierstunde betreten! Und kleine Ferkel kommen hier schon gar nicht rein!"

„Das finde ich aber gar nicht nett!", sagte das Ferkel. „Gott, der Allmächtige, ist auch nicht nett!", erklärte der Rabbi. „Er ist allwissend und allgütig, aber er kann auch ganz schön zornig werden, wenn man seine Gebote nicht einhält!" Und um das zu beweisen, erzählte er die Geschichte von der großen Sintflut.

„Eines Tages", sagte der Rabbi, „ärgerte sich Gott, der Herr, so sehr über die Menschen, dass er sich entschloss, alles Leben auf der Erde zu vernichten."

„Alles Leben?", fragte das Ferkel erschrocken. „Alle Menschenbabys, alle Omas und alle Tiere? Auch die Ferkel, die Igel, die Schmetterlinge und die kleinen Meerschweinchen?" „Ja, alles Leben", antwortete der Rabbi. „Bis auf ein Paar jeder Art. Die versammelte Noah, an dem Gott Gefallen gefunden hatte, auf seinem Schiff, der Arche Noah. Dann ließ es Gott so lange regnen, bis alle anderen Menschen und Tiere ertrunken waren."

Eine Zeit lang schwiegen Igel und Ferkel betreten. So viele ertrunkene Babys, Omas, Ferkel, Igel und Meerschweinchen konnten sie sich gar nicht vorstellen. „Das ist ja so was von gemein!", dachte sich das kleine Ferkel und es nahm sich vor, dem Herrn Gott ganz dolle auf den Fuß zu treten, wenn es ihn mal treffen würde.

„Was haben denn die Menschen so Schlimmes getan, dass sie alle ertrinken mussten?", wollte der kleine Igel wissen. „Sie haben andere Götter angebetet!", antwortete der Rabbi. „Ach, es gibt noch andere Götter?", fragte der Igel erstaunt. „Nein!", sagte der Rabbi. „Die Menschen haben sich das bloß eingebildet. In Wirklichkeit gibt es diese Götter ebenso wenig wie blau-grün gestreifte Gespenster..."

„Aha", sagte das kleine Ferkel. Es dachte eine Weile nach. „Wenn die Menschen sich Götter einbilden können", sprach es langsam, „woher wissen wir dann, dass du dir deinen Gott nicht auch einbildest?"

Das war eine wirklich gute Frage, kleines Ferkel! Aber sie gefiel dem Rabbi leider gar nicht. Er wurde schrecklich wütend und schimpfte so laut, dass Igel und Ferkel schnell das Weite suchten.

„Ich wette, der hat die Geschichte bloß erfunden, um uns Angst einzujagen!", keuchte das Ferkel, während sie davonliefen. „Aber wer ist schon so blöd, dass er eine solche Geschichte glaubt?" „Also, ich glaub' bestimmt nicht an einen Gott, der kleine Meerschweinchen ertränkt, nur weil manche Leute Gespenster sehen!", sagte der kleine Igel.

Und so liefen Igel und Ferkel zum zweiten Haus. „Kommet alle zu mir, die ihr mühselig und beladen seid!", sagte der Mann, der vor dem Haus stand. Er hatte ein lustiges lila Käppchen auf dem Kopf und trug ein seltsames Gewand, das bis auf den Boden reichte.

„Wo bitte geht's zu Gott?", fragte das kleine Ferkel den Mann. Es stellte sich heraus, dass der ein echter Bischof war und deshalb musste er sich in solchen Fragen natürlich auskennen.

„Dies ist das Haus Gottes, eine Kirche!", erklärte der Bischof. „Wenn wir uns im Namen des Herrn versammeln, so ist er mitten unter uns."

„Fein!", sagte der kleine Igel.

Also spazierten sie in die Kirche hinein.

Drinnen war es ziemlich dunkel und es roch auch irgendwie komisch. „Wo ist er denn nun, der Herr Gott?", fragte das kleine Ferkel. Der Bischof zeigte nach vorne. Igel und Ferkel starrten erschrocken auf einen halbnackten Mann, dessen Hände und Füße mit spitzen Nägeln an ein Kreuz geschlagen waren. Auf seinem Kopf trug er eine Krone aus Dornen und an seinem Körper klebte überall Blut.

„Aua!", sagte der kleine Igel. „Tut das nicht furchtbar weh?" „Gott, der Herr, schickte uns seinen Sohn, Jesus Christus, der für unsere Sünden am Kreuz gestorben ist!", erklärte der Bischof. „Oh, das hätte der Herr aber wirklich nicht tun müssen", sagte das kleine Ferkel. „Der kleine Igel und ich sind doch immer ganz brav..."

„Mit dem Blut Jesu wusch uns der Herr von der Sünde rein!", sagte der Bischof. „Mit Blut? Igitt!", meinte das kleine Ferkel. „Und ich hab' immer gedacht, dass man sich mit Seife waschen soll!", wunderte sich der kleine Igel.

„Gott gab uns eine frohe Botschaft: Wenn wir ihm folgen, wartet auf uns das Himmelreich!", sagte der Bischof.

„Na, so richtig froh sehen die Leute hier aber gar nicht aus!", dachte sich das kleine Ferkel. „Die gucken doch wie Trauerklöße aus der Wäsche!" Nein, hier wollte das Ferkel gewiss nicht länger bleiben. Doch dann entdeckte es etwas, was ihm wirklich gut gefiel: Ganz viele Plätzchen! Die lagen in einer großen, goldenen Schale vorne auf dem Tisch. Und weil das kleine Ferkel noch immer Hunger hatte, steckte es sich gleich ein paar davon in den Mund.

Das aber passte dem Bischof überhaupt nicht! „Um Himmels willen, was tust du da?", rief er erbost. „Ich esse Plätzchen, weil mir der Magen knurrt", sagte das Ferkel. „Aber das sind doch keine Plätzchen, das ist der Leib des Herrn!", schimpfte der Bischof. Er zeigte auf den Mann am Kreuz: „Das ist das Fleisch Jesu, der sich für uns geopfert hat!"

Oh, da wurde dem kleinen Ferkel aber so richtig übel! Äpfel und Möhren mochte es ja essen und Pilze auch, aber doch keinen Mann, der vor vielen Jahren gestorben war! Schnell spuckte das Ferkel die komischen Plätzchen wieder aus und nahm den Igel an der Hand. „Sofort weg hier!", rief es. „Das sind Menschenfresser! Wenn die schon den Sohn vom Herrn Gott verspeisen, wer weiß, was die kleinen Igeln und Ferkeln antun..."

Als sie die Kirche verlassen hatten, verspürten das kleine Ferkel und der kleine Igel eigentlich keine große Lust mehr, sich das dritte Haus anzusehen. Andererseits wollten sie aber unbedingt herausfinden, was ihnen fehlte. Also nahmen sie all ihren Mut zusammen und wagten einen letzten Versuch.

Vor dem dritten Haus stand ein Mann mit Vollbart, der sich ein Tuch über den Kopf gezogen hatte, was den kleinen Igel ein wenig an seine Großmutter Elfriede erinnerte. Allerdings trug Oma Elfriede natürlich keinen Bart.

„Wo bitte geht's zu Gott?", fragte das kleine Ferkel. „In dieser Moschee könnt ihr Allah, dem Herrn, begegnen", sagte der Mann. Er musste es wissen, denn er war ein „Mufti", ein muslimischer Gelehrter. „Kommt herein!", sagte der Mufti.

„Bin gespannt, was uns hier erwartet", flüsterte der kleine Igel, als sie durch das große Tor die Moschee betraten. Das kleine Ferkel nickte.

„Um Gott, also Allah, kennen zu lernen, müsst ihr Muslime werden!",
erklärte der Mufti. „Und wie wird man ein Muslim?", fragte der kleine
Igel neugierig. „Nun, zunächst einmal müsst ihr das islamische
Glaubensbekenntnis aufsagen können", erklärte der Mufti. „Und ihr
müsst Allahs Geboten treu folgen. Vor allem müsst ihr fünfmal am
Tag beten!"

„Gleich fünfmal?", fragte das kleine Ferkel. „Ja", antwortete der Mufti.
„Und ihr müsst euch davor immer gründlich waschen!"

„Fünfmal am Tag waschen?" Der kleine Igel verdrehte die Augen. „Das
bedeutet ja fünfunddreißig Mal waschen in der Woche und
einhundertfünfzig Mal im Monat!" Gerne hätte der kleine Igel noch
ausgerechnet, wie oft das im Jahr wäre, aber das war ihm dann doch
zu schwierig.

„Meine Güte, hat der Herr Gott denn einen Sauberkeitsfimmel?", fragte
sich das kleine Ferkel. Einmal in der Woche mit dem Igel in die Wanne
zu steigen, war ja schön und gut, aber doch nicht gleich fünfunddreißig
Mal!

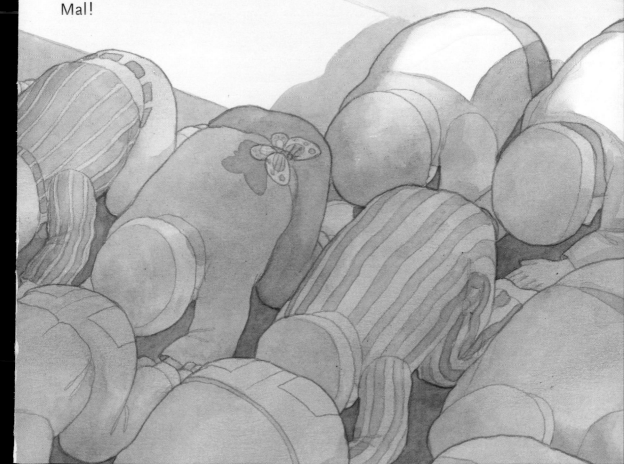

„Ich werd' bestimmt nicht fünfmal am Tag beten!", sagte der kleine Igel. „Ich hab' ja noch andere Dinge zu tun!" „Dann kannst du kein Muslim werden", erklärte der Mufti. „Tja, dann lass ich das halt sein!", meinte der Igel achselzuckend. „Wird ja nicht so schlimm sein..."

„Nicht so schlimm!?" Die Augen des Muftis funkelten. „Wenn ihr dem Herrn nicht gehorcht, werdet ihr in der Hölle enden und ewig im Feuer braten!" „Nur weil wir uns nicht oft genug gewaschen haben?", fragte das kleine Ferkel erstaunt. „Weil ihr die Gebote missachtet habt, die Allah dem Propheten Mohammed gegeben hat!", sagte der Mufti.

„Wer sagt uns denn, dass euer Mohammed das nicht bloß erfunden hat?", fragte das Ferkel. „Vielleicht war der ja gar kein Prophet, sondern hat euch einfach nur auf den Arm genommen?"

Oh, das hätte das kleine Ferkel besser nicht gesagt! Denn nun war der Mufti in seinen Gefühlen verletzt. „Ihr gottverdammten Ungläubigen!", schrie er und lief wütend auf Ferkel und Igel zu. So schnell sie konnten, rannten die beiden zum Ausgang der Moschee.

Doch, oh weh: Draußen warteten bereits der Rabbi und der Bischof. „Ergreift sie!", rief der Rabbi. „Sie haben Gott gelästert!" „Und sie haben den Leib des Herrn geschändet!", brüllte der Bischof. „Und den Propheten haben sie auch beleidigt!", schrie der Mufti, der jetzt aus der Moschee herausgestürmt kam.

Igel und Ferkel waren starr vor Angst. „Oh, oh, ich glaub', jetzt geht's uns an den Kragen!", stammelte das kleine Ferkel.

„Sie sind vom Teufel besessen, aber den werde ich ihnen schnell austreiben!", rief der Bischof. „Nichts da! Wir haben schon Dämonen ausgetrieben, da gab es euch noch gar nicht!", erwiderte der Rabbi. „Erst der Prophet hat gezeigt, wie man mit Ungläubigen richtig umgeht!", entgegnete der Mufti. „Außerdem ist unsere Hölle viel heißer als eure!" „Frechheit!", schimpfte der Bischof und haute dem Mufti mit der Bibel auf den Kopf. „Unsere Hölle ist die allerallerschlimmste!" Und schon entstand ein handfester Streit unter den drei Gottesdienern. Dabei schlugen sie so wild aufeinander ein, dass sie gar nicht bemerkten, wie sich Igel und Ferkel heimlich davonschlichen.

Als sie wieder zuhause angekommen waren, sagte der kleine Igel: „Ferkel, ich weiß jetzt, was uns die ganze Zeit über gefehlt hat…" „Was denn?", fragte das kleine Ferkel. „Ohne Gott hatten wir keine Angst!", sagte der Igel. „Stimmt!", meinte das Ferkel. „Aber hat dir die Angst gefehlt?" „Nee!", antwortete der kleine Igel. „Der Herr Gott mit seinen komischen Dienern kann mir echt gestohlen bleiben!"

Igel und Ferkel schauten sich noch einmal das geheimnisvolle Plakat an. „Ich denke, da ist einfach nur ein Wort zuviel!", sagte das kleine Ferkel und strich mit einem dicken Stift das Wörtchen „nicht" auf dem Plakat aus. „Es müsste eigentlich heißen: 'Wer Gott kennt, dem fehlt etwas!' Nämlich hier oben…" Das Ferkel tippte sich lachend an die Stirn. Der kleine Igel nickte: „Die Leute vom Tempelberg sind wirklich verrückt! Ich glaub' ja, dass es den Herrn Gott überhaupt nicht gibt! Und wenn doch, dann wohnt der bestimmt nicht in diesen Gespensterburgen!"

„Wo du Recht hast, hast du Recht, Igel!", sagte das kleine Ferkel. „Aber was machen wir nun mit dem Plakat? Wollen wir es da hängen lassen?"
„Nein!", antwortete der kleine Igel. „Ich hab' eine viel bessere Idee!"
Er riss das Plakat von der Wand und bastelte daraus viele kleine Papierflugzeuge. Die ließen der kleine Igel und das kleine Ferkel dann ganz hoch in den Himmel fliegen.
Ei, war das ein Heidenspaß! Endlich konnten die beiden wieder aus vollem Herzen lachen. So wie sie es immer getan hatten, wenn die Sonne schien oder wenn der Regen auf die Erde fiel…

Und die Moral von der Geschicht':
Wer Gott nicht kennt, der braucht ihn nicht!

P.S.

Damit nun keiner von euch denkt:
„Wer Gott nicht kennt, der ist beschränkt!"
Sei ein Geheimnis euch verraten
(Ihr dürft es gerne weitersagen):

Der Gottesglaube auf dem Globus
Ist fauler Zauber: Hokuspokus.
Rabbis, Muftis und auch Pfaffen
Sind, wie wir, nur „nackte Affen"
Bloß, dass sie „Gespenster" sehn
Und in lustigen Gewändern gehn.

Dem Ferkel haben sie nichts vorgemacht:
Es hat sie alle ausgelacht...

**Michael Schmidt-Salomon**, Dr. phil., geboren 1967, ist freischaffender Schriftsteller, Philosoph und Musiker und u.a. als Vorstandssprecher der *Giordano Bruno Stiftung* tätig. Im Alibri Verlag erschienen von ihm bereits die Bücher: Erkenntnis aus Engagement (1999); Stollbergs Inferno (Philosophischer Roman, 2003), Manifest des evolutionären Humanismus. (2005); „Aufklärung ist Ärgernis..." Karlheinz Deschner: Leben – Werk – Wirkung (Herausgeber gemeinsam mit Hermann Gieselbusch, 2006); Die Kirche im Kopf. Von „Ach Herrje!" bis „Zum Teufel!" (gemeinsam mit Carsten Frerk, 2007). Michael Schmidt-Salomon lebt mit seiner „postfamilialen Familie" (zwei biologische und drei soziale Kinder sowie drei weitere Erwachsene) in der Vordereifel. Weitere Informationen: www.schmidt-salomon.de/

**Helge Nyncke**, Jahrgang 1956, ist studierter Diplom-Designer, Illustrator und Autor. Er hat zahlreiche Schul-, Sach- und Bilderbücher, Spiele und Trickfilme für Kinder illustriert, geschrieben oder erfunden, aber auch kritische Essays, Drehbücher, kabarettistische und freie Texte für Erwachsene verfasst. Daneben hat er auch noch Zeit gefunden, Kunstobjekte zu entwerfen oder Kinderkrankenhäuser zu verschönern. Der vierfache Vater und vielfache Ideenschöpfer lebt und arbeitet in Mühlheim am Main.

Dieses Buch wurde gefördert von der *Giordano Bruno Stiftung* (www.giordano-bruno-stiftung.de).

Alibri Verlag
www.alibri.de
Aschaffenburg
Mitglied in der Assoziation Linker Verlage (*aLiVe*)

1. Auflage 2007

Copyright 2007 by Alibri Verlag, Postfach 100 361, 63703 Aschaffenburg

Alle Rechte, auch die des auszugsweisen Nachdruckes, der photomechanischen Wiedergabe, der Herstellung von Mikrofilmen, der Einspeicherung in elektronische Systeme sowie der Übersetzung vorbehalten.

Umschlag: Helge Nyncke
Satz: ImPrint Verlagsservice, Jörn Essig-Gutschmidt, Münster
Druck und Verarbeitung: Interpress, Budapest

ISBN 978-3-86569-030-2